KB077158

동시를 그리는 아이들

석사초등학교 자율 동아리
시화집

동시를 그리는 아이들

발 행 | 2023년 12월 1일

글씨,그림 | 이주연, 어하랑, 신민서, 길연우, 박찬희, 홍예현, 유하은, 황리애, 정시윤

엮은이 | 심재근

펴낸이 | 한건희

펴낸곳 | 주식회사 부크크

출판사등록 | 2014.07.15.(제2014-16호)

주 소 | 서울특별시 금천구 가산디지털1로 119 SK트윈타워 A동 305호

전 화 | 1670-8316

이메일 | info@bookk.co.kr

ISBN | 979-11-410-5642-1

www.bookk.co.kr

동시를 그리는 아이들

이주연, 어하랑, 신민서, 길연우, 박찬희, 홍예현
유하은, 황리애, 정시윤이 쓰고 그림
심재근 엮음

추천사

"첫눈이다!"
외치며 신나게 뛰는 아이의 외침에
덩달아 나섰더니 곧 멈춰버린 첫눈!

올해 첫눈은 유난히 수줍음이 많은가 봅니다.

흔적 없이 사라진 첫눈은
우리들의 기다림과 설렘을 알고 있을까?

가끔 흘러간 시간이 야속할 때가 있죠?

자율 동아리로 구성된 아홉 명의 천사들은
'동시를 그리는 아이들'이라는 문집으로
지난 2023년을 꼬옥 간직하게 되었네요.

축하합니다.

사과 속에 들어있는 씨앗은 셀 수 있지만
씨앗 속에 들어있는 사과는 셀 수 없듯이
오늘의 작은 경험, 문집 제작 등이
여러분의 앞날에 어떠한 결실을 맺게 될지 사뭇 기대
됩니다.

늘 아이들을 사랑하고 열정적으로 지도하시는
심재근 선생님 수고 많으셨고,
다시 한번 '동시를 그리는 아이들' 문집 발간을 축하
합니다.

2023년 12월, 석사초등학교 교장 조희천

차 례

추천사

6학년 이주연

주연이가 쓰고 그린 동시들

앵두

글·권태응
그림·이즉연

뺄강 뺄강 앵두가
오불조불 온 가지.
아기들을 부른다.
정답게 모여라.

동글동글 앵두는,
예쁜 예쁜 열매는,
아기들의 차질세.
달콤달콤 먹어라.

오리

글 - 권태응
그림 - 이주연

둥둥 엄마 오리
못물 위에 둥둥.
동동 아기 오리
엄마 따라 동동.

풍덩 엄마 오리
못 물 속에 풍덩.
퐁당 아기 오리
엄마 따라 퐁당.

·도토리들·

글·권태응
그림·이주연

오종종 깨달린 도토리들
바람에 우르르 떨어진다.

머리가 깨지면 어쩔려고
모자를 벗고서 내려오나.

날마다 우르르 도토리들,
눈을 꼭 감고서 떨어진다.

아기네 동무와 놀고 싶어
꼭섬도 안 타고 내려온다.

「봄

글 - 윤동주

그림 - 이주연

우리 아기는
아래 발치에서 콜콜콜,

고 양이는
부뚜막에서 가릉가릉

아기 바람이
나뭇가지에 소올소올

아저씨 햇님이

하늘 한가운데서 째앵째앵

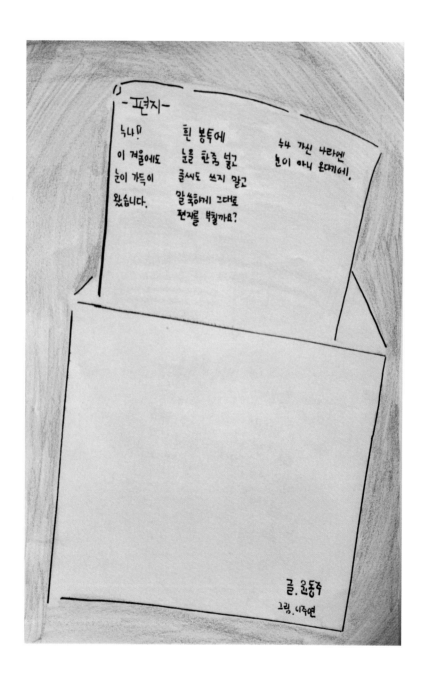

-편지-

누나!   흰 봉투에   누나 가신 나라엔
이 겨울에도   눈을 한줌 넣고   눈이 아니 온다기에.
눈이 가득이   글씨도 쓰지 말고
왔습니다.   말쑥하게 그대로
                   편지를 부칠까요?

글. 윤동주

그림. 이주연

조개껍질

윤동주 - 글
이주연 - 그림

아롱아롱 조개껍데기
울언니 바닷가에서 주워온
조개껍데기

여긴여긴 북쪽나라요
조개는 귀여운 선물
장난감 조개껍데기

데굴데굴 굴리며 놀다
짝잃은 조개껍데기
한짝을 그리워하네

아롱아롱 조개껍데기
나처럼 그리워하네
물소리 바닷물소리

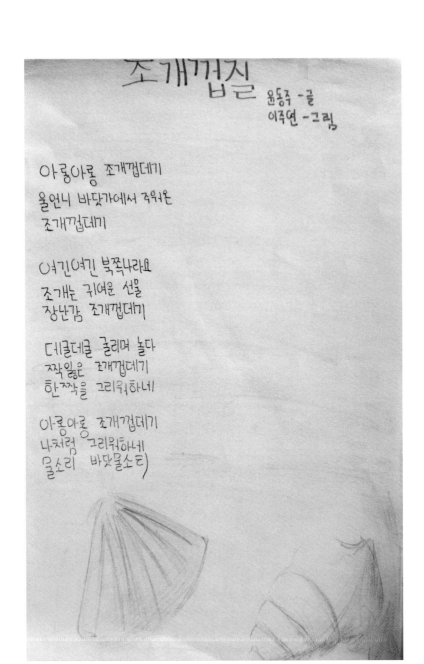

6학년 어하랑

하랑이가 쓰고 그린 동시들

산유화 - 김소월

산에는 꽃 피네.   산에서 우는 작은 새여.   하랑
꽃이 피네.   꽃이 좋아.
갈 봄 여름 없이   산에서
꽃이 피네.   사노라네.

산에   산에서는 꽃 지네.
산에   꽃이 지네.
피는 꽃은   갈 봄 여름 없이
저만치 혼자서 피어 있네.   꽃이 지네.

- 18 -

형제별 — 방정환

하랑

날 저무는 하늘에
별이 삼형제
반짝반짝
정답게 지내더니,

웬일인지 별 하나
보이지 않고,
남은 별이 둘이서
눈물 흘린다.

산울림 - 윤동주

까치가 울어서
　산울림,
아무도 못 들은
　산울림.

까치가 들었다.
산울림,
저 혼자 들었다.
　산울림

하랑

홍시 - 정지용

하랑

어저께도 홍시 하나.
오늘에도 홍시 하나

까마귀야. 까마귀야.
우리 나무에 왜 앉았나.

우리 오빠 오시걸랑.
맛 보여 줄라고 남겨 뒀다.

후락 딱 딱
휘이 휘이!

병아리 — 윤동주

"뾰, 뾰, 뾰
엄마 젖 좀 주."

"꺽, 꺽, 꺽
오냐, 좀 기다려."
엄마 닭 소리.

좀 있다가
병아리들은
엄마 품속으로
다 들어갔지요.

하랑

오리 - 권태웅

엄마 오리

못물 위에

아기오리

엄마 따라

퐁덩 엄마 오리

못물 속에 퐁덩

퐁당 아기오리

엄마 따라 퐁당

눈 뜨는 가을 ■서덕출

가을이 눈 한 번
힐끗 뜨더니
하늘이 **파랗게**
높아지고요
나뭇잎 병 들어

가을이 눈뜨면
달도
벌레가 처량히
울음 우는 밤
나뭇잎 장례가
떠나갑니다.

밤시계 - 서덕출

딸깍딸깍 시계가
딸깍거리네.
벽 위에 걸려있는
시계가 딸깍
밤이면 우는 애도
잠을 자는데
시계만 잠 안자고
딸깍거리네.

7월 2일 (일) 어하람

도토리들 - 권태응

하람

오롱종 매달린 도토리들
바람에 우루루 떨어진다.

머리가 깨지면 어쩔라고
모자를 벗고서 나오나.

날마다 우루루 도토리들
눈을 꼭 감고서 떨어진다.

아기네 동무와 놀고 싶어
무섬도 안 타고 내려온다.

6학년 신민서

민서가 쓰고 그린 동시들

앵두
권태응

빨갛빨갛 앵두가
몰몰몰 온 거리.
아기들 부른다.
정답게 오여라.

올망졸망 앵두는
예쁜예쁜 열매,
아기들 차지래.
알콩달콩 익어라.

글·그림 민아

앵 두 짱 ♥

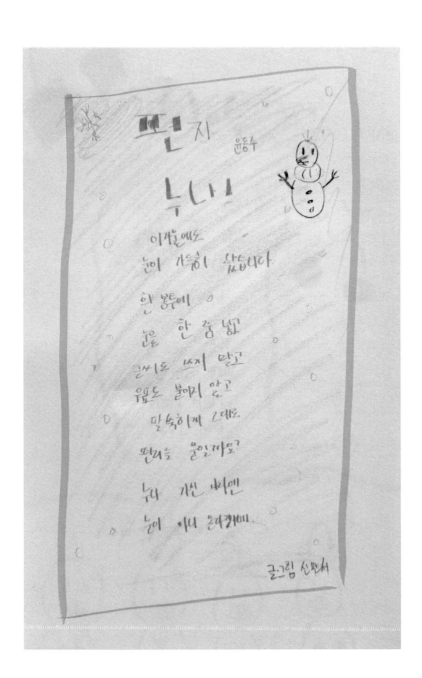

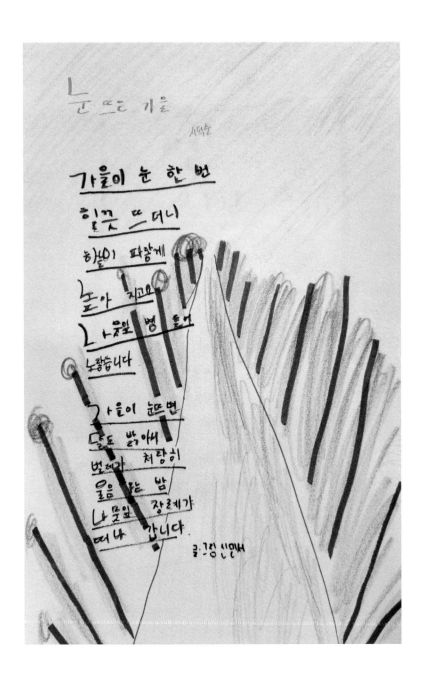

눈 뜨는 가을

서덕출

가을이 눈 한 번
힐끗 뜨더니
하늘이 파랗게
높아 지고요
나뭇잎 병 들어
노랗습니다

가을이 눈뜨면
달도 밝아서
벌레가 처량히
울음 우는 밤
나뭇잎 장례가
떠나 갑니다

글·김신애

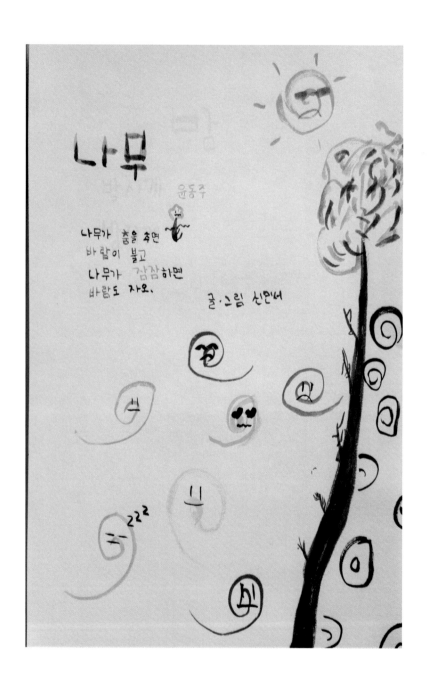

나무

윤동주

나무가 춤을 추면
바람이 불고
나무가 잠잠하면
바람도 자요、

글·그림 신민서

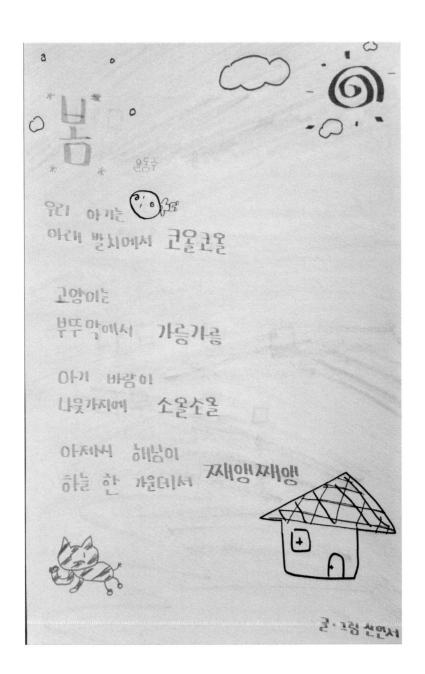

봄

윤동주

우리 아기는
아래 발치에서 코올코올

고양이는
부뚜막에서 가릉가릉

아기 바람이
나뭇가지에 소올소올

아저씨 해님이
하늘 한 가운데서 째앵째앵

글·그림 신연서

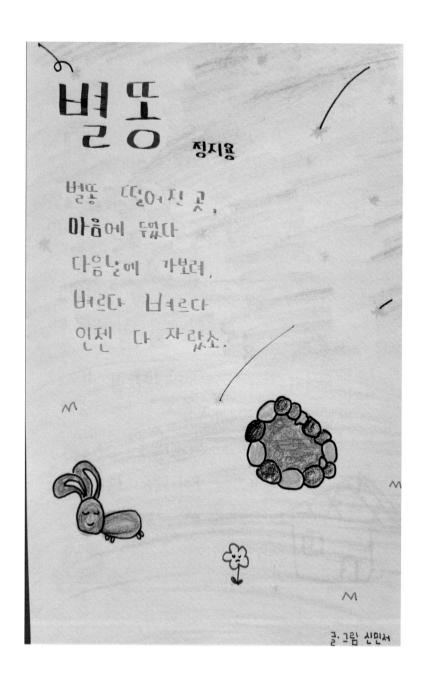

별똥

정지용

별똥 떨어진 곳,

마음에 두었다

다음날에 가보려,

벼르다 벼르다

인전 다 자랐소.

글·그림 신민서

밤시계

서덕출

딸깍딸깍 시계가
딸깍거리네.

벽 위에 걸려있는
시계가 딸깍

밤이면 우는 애도
잠을 자는데

시계는 잠 안자고
딸깍거리네.

글·그림 신민서

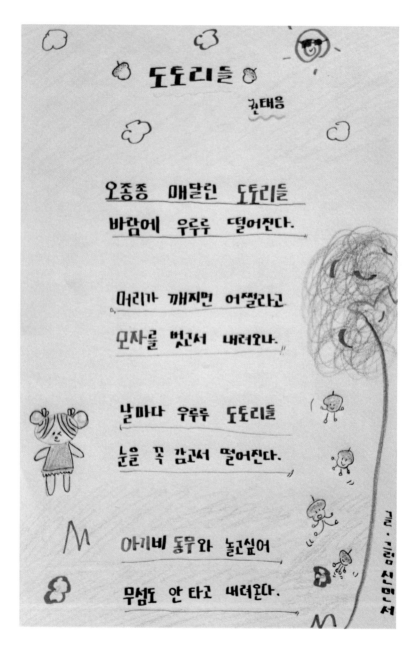

도토리들

권태응

오종종 매달린 도토리들
바람에 우루루 떨어진다.

머리가 깨지면 어쩔라고
모자를 벗고서 내려오나.

날마다 우루루 도토리들
눈을 꼭 감고서 떨어진다.

아기비 동무와 놀고싶어
무섭도 안 타고 내려온다.

글·그림 신민서

더위 먹겠네

권태응

타는 듯 내리 쬐는 저 들판에
일하는 사람들 더위 먹겠네

구름들아 햇볕 좀

가려라 가려라

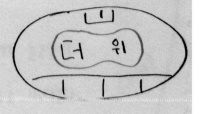

죽도록 일해도 고생 많은

땀 철철 농군들 더위 먹겠네

바람들아 자꾸 좀

불어라 불어라

글·그림 신판서

6학년 길연우

연우가 쓰고 그린 동시들

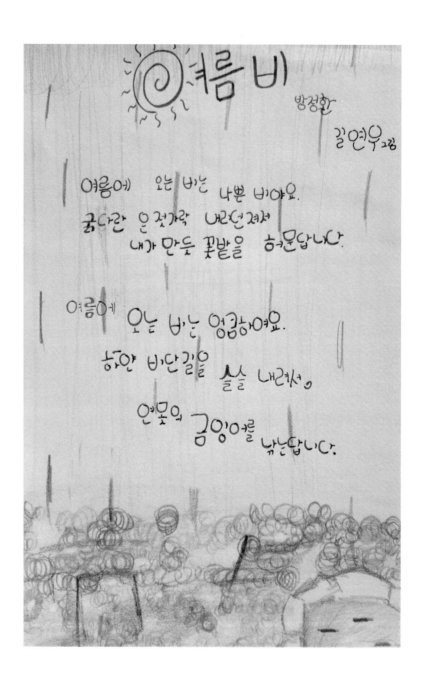

여름비

방정환

길연우 그림

여름에 오는 비는 나쁜 비야요.
굵다란 은 젓가락 내려 꼰져서
내가 만든 꽃밭을 허문답니다.

여름에 오는 비는 영감아 요.
하얀 비단길을 슬슬 내려서
연못의 금잉어를 낚는답니다.

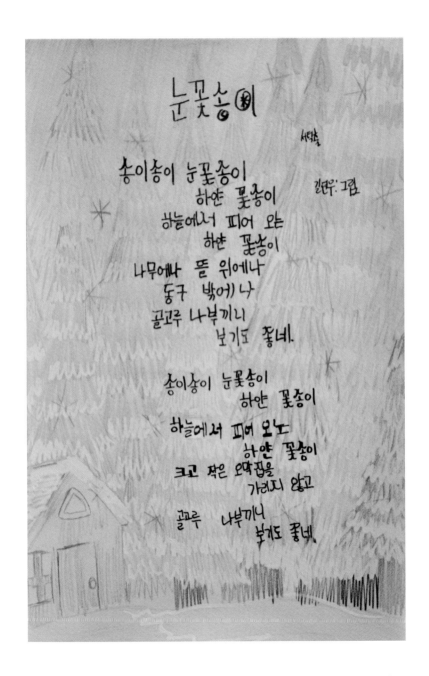

눈꽃송이

서덕출

송이송이 눈꽃송이
하얀 꽃송이
하늘에서 피어 오는
하얀 꽃송이
나무에나 뜰 위에나
둥구 밖에나
골고루 나부끼니
보기도 좋네.

송이송이 눈꽃송이
하얀 꽃송이
하늘에서 피어 오노
하얀 꽃송이
크고 작은 오막집을
가리지 않고
골고루 나부끼니
보기도 좋네.

나는 봄

온 듯은 좀
그럼. 깊이깊이

나는 개나리 추운 봄
바람이 불고

나무가는 잠든 꽃처럼
바람도 자요.

호수 1

정지용

그림 · 김현우

얼굴 하나야

손바닥 둘로

폭 가리지만,

보고 싶은 마음

호수만 하니

눈 감을 밖에

별똥   별똥

별똥 떨어진 곳,
    마음에 두었다.
    다음날 가 보려,
    벼르다 벼르다,

    인젠 다 자랐소.

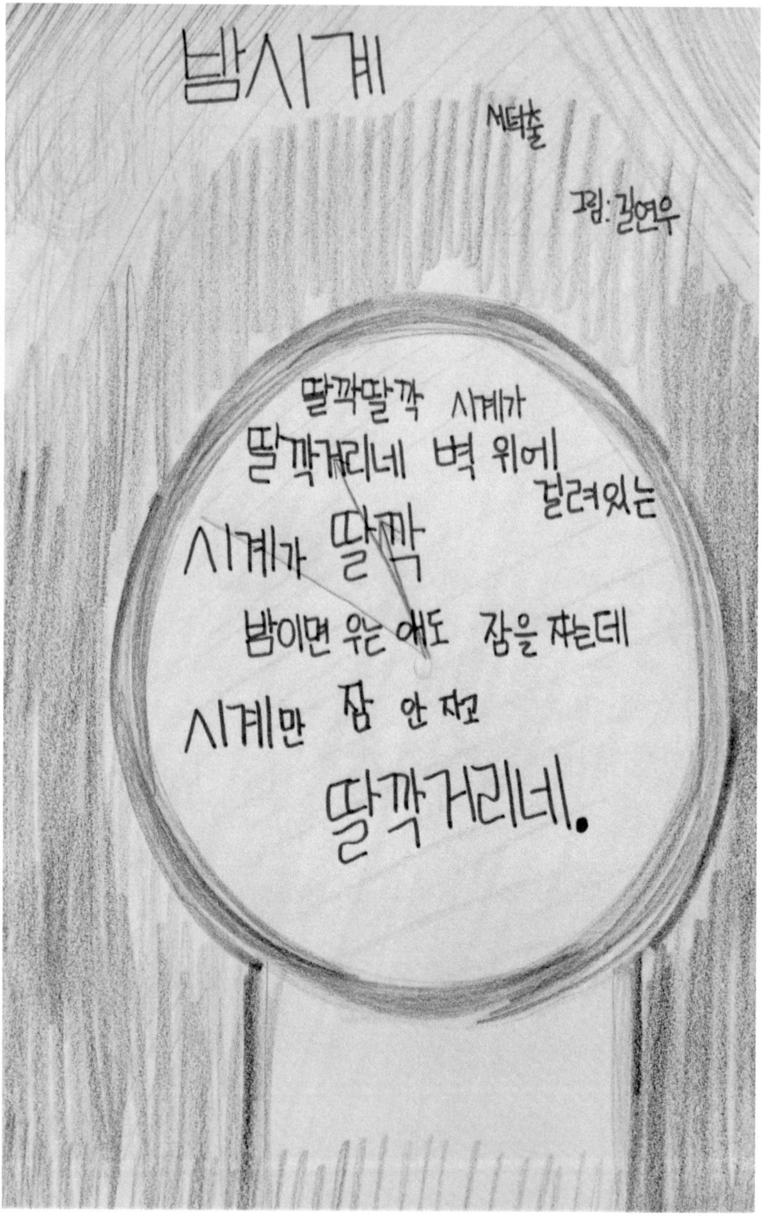
밤시계
서덕출
그림: 길연우
딸깍딸깍 시계가
딸깍거리네 벽 위에
걸려있는
시계가 딸깍
밤이면 우는 애도 잠을 자는데
시계만 잠 안 자고
딸깍거리네.

도토리들

권태웅

그림: 길연우

오종종 매달린 도토리들,
바람에 우루루 떨어진다.

머리가 깨지면 어쩔라고
모자를 벗고서 내려온나.

날마다 우루루 도토리들,
눈을 꼭 감고서 떨어진다.

아기네 동무와 놀고 싶어
무섬도 안 타고 내려온다.

조개껍질

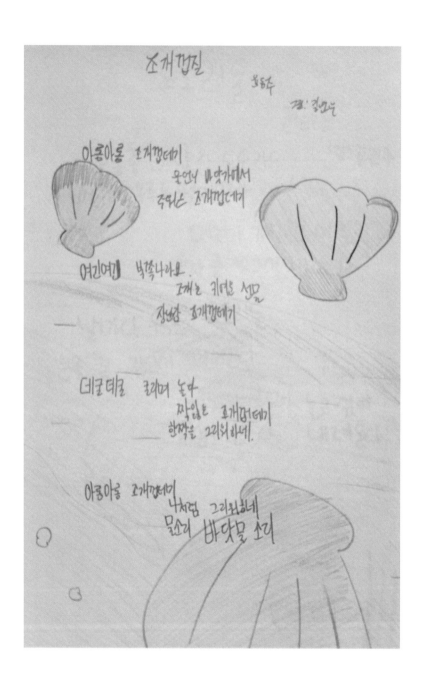

아롱아롱 조개껍데기
울언니 바닷가에서
주워온 조개껍데기

여기여기 붙여놔요
그래도 커다란 소라
장난감 조개껍데기

데굴데굴 굴러도 놓다
짝잃은 조개껍데기
한짝을 그리워하네.

아롱아롱 조개껍데기
나처럼 그리워하네
물소리 바닷물 소리

편지

윤동주

그림 : 강현우

누나!
이 겨울에도
눈이 가득히 왔습니다.

흰 봉투에
눈을 한 줌 넣고
글씨도 쓰지 말고
우표도 붙이지 말고
말쑥하게 그대로
편지 부칠까요?

누나 가신 나라엔
눈이 아니 온다기에.

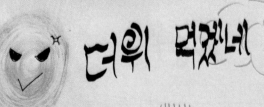

더위 먹겠네

권더움

김연우 : 그림

타는 듯 내리쬐는 저들판에

일하는 사람들 더위 먹겠네

구름들아 햇볕 좀 가려라 가려라

주룩 일해도 괭많은 땀 처철

농부들 더위 먹겠네

바람들아 자꾸 좀

불어라 불어라

6학년 박찬희

찬희가 쓰고 그린 동시들

홍시

정지용

어제께도 홍시 하나.
오늘에도 홍시 하나.

까마귀야. 까마귀야
우리 나무에 오ᅢ 앉았나.

우리 오빠 오시걸랑
맛 보이게 둘라고 남겨 뒀다.

후주 딱딱

휘O· 휘O·

글·그림 · 박한늬

별똥

정지용

별똥 떨어진곳,

마음에 두었다.

다음날 가 보려,

벼르다 벼르다

인젠 다 자랐소.

글·그림 박천희

도 토 리들

권태응

오롱총 매달린 도토리들.
바람에 우루루 떨어진다.

머리마 깨지면 어쩔라고
모자를 벗고서 내려와라.

날마다 우루루 도토리들,
눈을 꼭 감고서 떨어진다.

애기네 동무와 놀고 싶어
무섬도 안 타고 내려온다.

글·그림 박천희

앵두

권태응

빨강빨강 앵두가

오볼조볼 온가지

아기들을 부른다.

정답게 모여라

동글동글 앵두는

예쁜 예쁜 열매는

아기들의 차질세

달콩달콩 먹어라

글·그림 박초녀

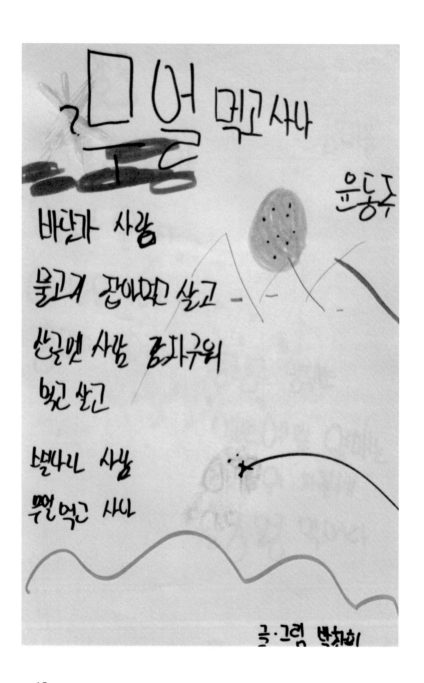

무얼 먹고 사나

윤동주

바닷가 사람

물고기 잡아먹고 살고

산골엣 사람 감자 구워
먹고 살고

별나라 사람

무얼 먹고 사나

글·그림 박정희

밤시계

딸깍 딸깍 시계가
딸깍거리네.

벽위에 걸려있는
시계가 딸깍

밤이면 우는애도 잠을 자넌

시계만 잠 안 자고

딸깍 거리네

서녁출

글·그림 박찬

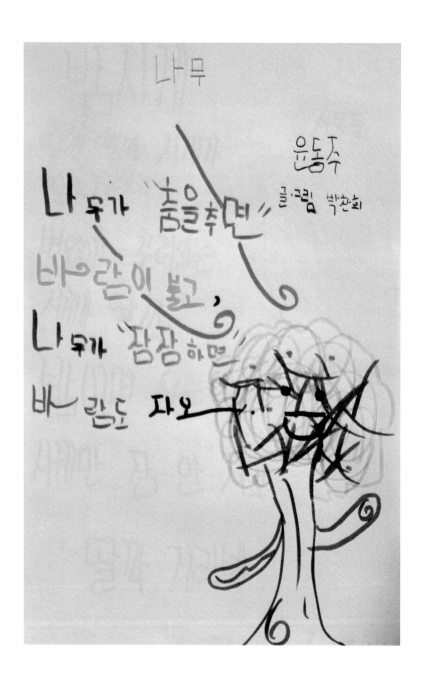

나무

윤동주

글·그림 박찬희

나무가 춤을 추면
바람이 불고,
나무가 잠잠하면
바람도 자오

더위 먹겠네

권태웅

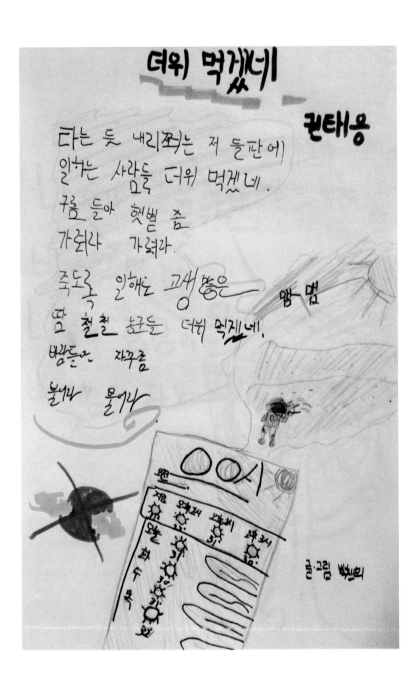

타는 듯 내리쬐는 저 들판에
일하는 사람들 더위 먹겠네.
구름 들아 햇볕 좀
가려라 가려라.

죽도록 일해도 고생 많은
땀 철철 흘리는 더위 먹겠네.
바람들아 자꾸좀
불어라 불어라.

오리

엄마 오리   권태응

둥둥 못 물 위에 둥둥.

둥둥 아기 오리
엄마 따라 둥둥.

풍덩 엄마 오리
못 물 속에 풍덩.

풍당 아기 오리
엄마 따라 풍당.

꽥 꽥 꽥

글·그림 박진희

편지

윤동주

누나!
이 겨울에도
눈이 가득히 왔습니다

흰 봉투에
눈을 한줌 넣고
글씨도 쓰지 말고

우표도 붙이 말고
말쑥하게 그 대로

편지를 부칠까요?
누나 가신 나라엔
눈이 아니 온다기에

6학년 홍예현

예현이가 쓰고 그린 동시들

땅감나무

키가너무 높으면,
까마귀 떼 날아와 따먹을 까봐,
키 작은 땅감나무 되었답니다.

키가 너무 높으면,
아기들 올라가다 떨어질까봐,
키 작은 땅감나무 되었답니다.

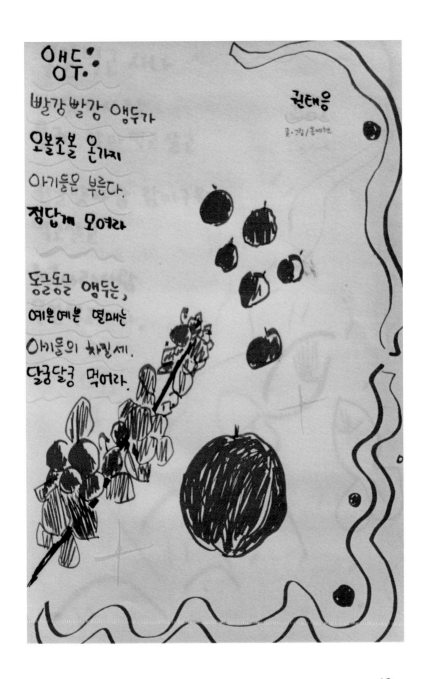

앵두

빨강빨강 앵두가
오볼조볼 온가지
아기들을 부른다.
정답게 모여라

동그동그 앵두는,
예쁜예쁜 열매는
아기들의 차질세.
달콩달콩 먹어라.

권태응
글·그림/홍예현

더위 먹겠네

권예름
초3

타는듯 내리쬐는 저 들판에
일하는 사람들 더위먹겠네.

구름들아 햇볕 좀
가려라 가려라.

죽도록 일해도 고생만은
땀 철철 농군들 더위 먹겠네

바람들아 자꾸 좀
불어라 불어라.

- 70 -

한동네 사람

권태흥
글·그림/손예은

뉘집논이 얼만지 모두 알고
뉘집논 밭이 어딨는지 모두 압니다
예로부터 살아오는 한동네 사람.

저 개는 뉘집갠지 갯도 알고,
이소도 뉘집손지 모두 알지요
식구처럼 모여사는 한 동네사람.

산 샘물

바위틈새 속에서
쉬지않고 송송송

맑은물이 고여선
넘쳐 흘러 졸졸졸

푸고푸고 다 퍼도
끊임없이 송송송

푸다 말고 나두면
다시 고여 졸졸졸

조개껍질

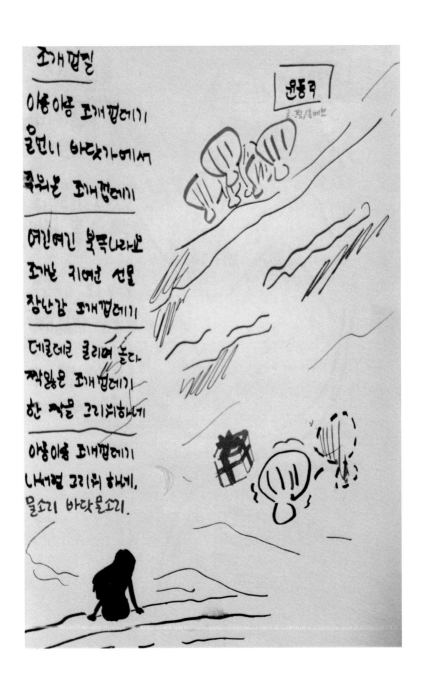

아롱아롱 조개껍데기
울언니 바닷가에서
주워온 조개껍데기

여긴여긴 볼록나라요
조개는 지어선 선물
장난감 조개껍데기

데굴데굴 굴리며 논다
짝잃은 조개껍데기
한 짝을 그리워하네

아롱아롱 조개껍데기
나처럼 그리워 하네,
물소리 바닷물소리.

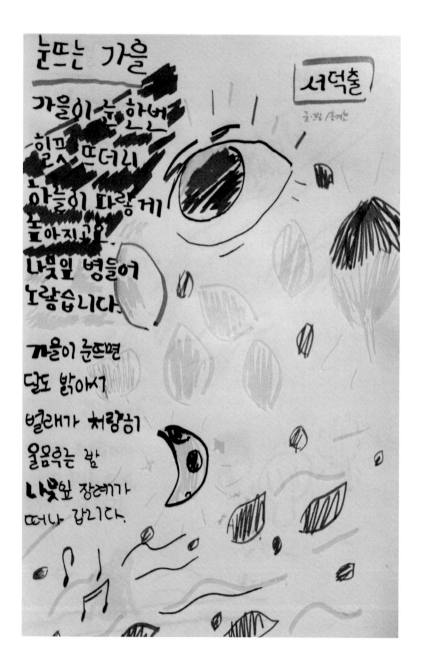

눈뜨는 가을

서덕출

글·그림 /홍예찬

가을이 눈 한번
힐끗 뜨더니
하늘이 파랗게
높아지고요.
나뭇잎 병들어
노랗습니다

가을이 눈뜨면
달도 밝아서
벌레가 처량히
울음우는 밤
나뭇잎 장례가
떠나 갑니다.

서시

죽는날까지 하늘을 우러러
한점 부끄럼이 없기를,
잎새에 이는 바람에도
나는 괴로워 했다.
별을 노래하는 마음으로
모든것이 죽어가는것을 사랑해야지
그리고 나한테 주어진 길을
걸어가야겠다.

오늘밤에도 별이 바람에 스치운다.

윤동주
글·그림 /홍에빈

무얼 먹고 사나

바닷가사람
물괘 잡아먹고 살고

윤동주

글:그림/홍애현

산골엣사람 감자구워
먹고살고

별나라사람
무얼먹고사나.

밥시계

서덕골
글·그림 홍예현

딸깍딸깍 시계가
딸깍거리네.
벽 위에 걸려있는
시계가 딸깍
밤에 된 윈 애들
잠은자는데
시계만 잠안자고
딸깍거리네,

5학년 유하은

하은이가 쓰고 그린 동시들

앵두

권태응

빨강 빨강 앵두가
오볼 조볼 온가지
아기들을 부른다.
정답게 모여라.

동글 동글 앵두는,
예쁜 예쁜 열매는,
아기들의 차질세),
달궁 달궁 먹어라.

글. 그림 유하은

봄

윤동주

우리 아기는
아래 발치에서 코올 코올,

고양이는
부뚜막에서 가릉 가릉

아기 바람이
나뭇 가지에 소올 소올

아저씨 해님이

하늘 한가운데서 째앵 째앵.

나무

윤동주

나무가 춤을 추면

바람이 불고

나무가 잠잠하면

바람도 자오.

글. 그림 유하은

산울림

윤동주

까치가 울어서
산울림,
아무도 못들은
산울림.

까치가 들었다.
산울림,
저 혼자 들었다.
산울림.

글, 그림 유하은

무얼 먹고 사나

윤동주

바닷가 사람
물고기 잡아먹고

산골 사람
감자 구워 먹고 살고

별나라 사람
무얼 먹고 사나 ?
.

글, 그림
유하은

호수 1

정지용

얼굴 하나야
손바닥 둘로
폭 가리지만

보고 싶은 마음
호수만 하니
눈 감을 수 밖에

글. 그림 유하은

눈

윤동주

지난밤에
눈이 소오복이 왔네

지붕이랑
길이랑 밭이랑
추워 한다고
덮어 주는 이불인가봐

그러기에

추운 겨울에만 나리지

글,그림 유하은

오리

둥둥 엄마 오리
물위에 둥둥
엄마 따라 둥둥
아기 오리

풍덩 엄마 오리
물 속에 풍덩
아기오리
엄마 따라 풍당

글. 그림 유하은

홍시

정지용

어저께도 홍시 하나
오늘에도 홍시 하나

까마귀야. 까마귀야.
우리 나무에 왜 앉았나.

우리 오빠 오시걸랑
맛 보여 줄라고 남겨 뒀다.

후락 딱 딱

휘이 휘이!

글, 그림 유하은

✧ 별똥 ✧

정지용

별똥 떨어진 곳
마음에 두었다.
다음날 가 보려
인젠 다 자랐소.

글.그림 유정은

5학년 황리애

리애가 쓰고 그린 동시들

앵두

글씨 황리아
시 권대웅

빨강 빠빨강 앵두가

오볼조볼 온가지
아기들이 부른다

정답게 오여라 ♡

동글동글 앵두는

예)쁜 예쁜 열매는

아기들의 차질세

달콩달콩 먹어라

산 샘물

시 권태응
글씨 황리아

바위 틈새 속에서
쉬지 않고 송송송

맑은 물이 괴면
넘쳐 흘러 졸졸졸

두고 푸고 다 퍼도
끊임없이 송송송

푸다 말고 놔두면
다시 괴어 질 졸졸

더위 먹겠네

시 천태웅
글씨 황리아

타는 듯 내리쪼는 저 들판에
일하는 사람들 더위 먹겠네

구름들아 햇볕좀
가려라 가려라 좀

죽도록 일해도 고생많은
땀 천천 흐르는 더위 먹겠네

바람들아 짜끔좀
불어라 불어라

- 94 -

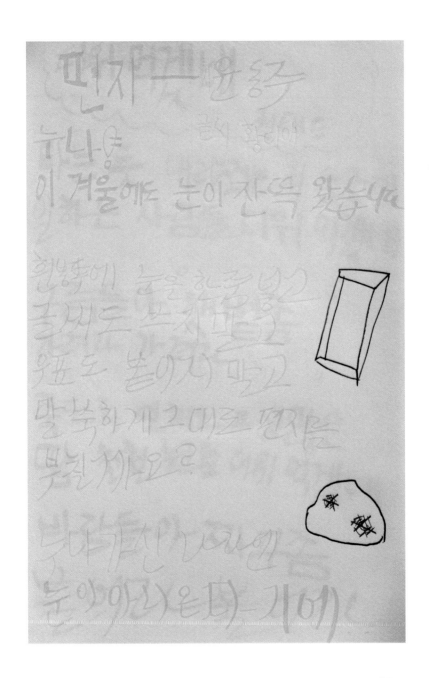

편지 — 완성주

글씨 황○이

누나?
이 겨울에도 눈이 잔뜩 왔습니다

○○이 눈을 한줄 넣고
글씨도 쓰지 말고
○표도 붙이지 말고
말쑥하게 그리는 편지를
붙일까요?

누나가 산 그리면
누이○○○○○○ — 기○○

눈꽃송이

시 서덕출
글씨 황리아

송이송이 눈꽃송이
하얀 꽃송이
하늘에서 피어오는
하얀 꽃송이
나무에나 뜰위에나 동구 밖에나
골고루 나부끼니
보기도 좋네

송이 송이 눈꽃송이
하얀 꽃송이
하늘에서 피어오는
크고 작은 오막집을
가리지 않고

골고루 나부끼니
보기도 좋네

땅감나무

시권 태응
글씨 황리애

키가 너무 높으며
까마귀 때가 날아와 따 먹을까봐
키 작은 땅감 나무 되었답니다

키가 너무 높으면,
아기들 올라가다 다칠까 봐
키 작은 땅감나무 되었답 니다.

6학년 정시윤

시윤이가 쓰고 그린 동시들

홍시

시 정지용
글 정세윤

어저께도 홍시 하나
오늘에도 홍시 하나

까마귀야, 까마귀야,
우리 나무에 왜 앉았나

우리 오빠 오시거랑
맛 보여 줄라고 남겨 뒀다

후락 딱딱
훠이 훠이

호수1

시 정지용
글 정시윤

얼굴 하나야
손바닥 둘로
폭 가리지만

보고 싶은 마음
호수만 하니
눈 감을밖에

버들피리

시 서덕출 글 정시윤

버들피리 봄인 듯이
쪼끄마 고와
진달래꽃 방실방실
웃고 핍니다.

버들피리 봄 저녁에
불어 날리면
별님이 너도 나도
내다봅니다.

산샘물

시권태응 글 정시윤

바위 틈새 속에서
쉬지 않고 송송송

맑은 물이 고여선
넘쳐 흘러 졸졸졸

푸고 푸고 다 퍼도
끊임없이 송송송

푸다 말고 놔두면
다시 고여 졸졸졸

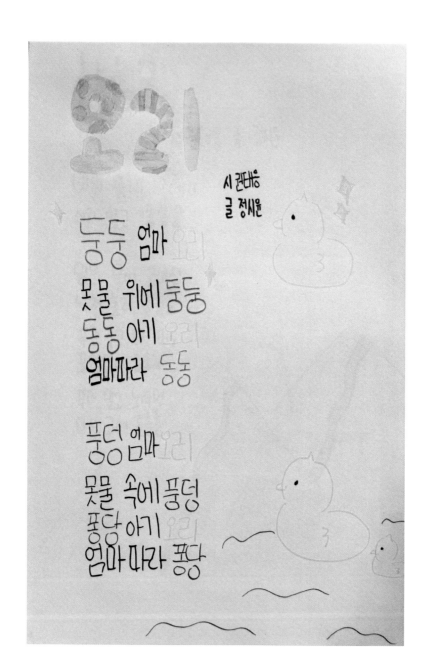

오리

시 권태웅
글 정시윤

둥둥 엄마
못물 위에 둥둥
둥둥 아기
엄마따라 둥둥

풍덩 엄마
못물 속에 풍덩
풍덩 아기
엄마따라 풍덩

밤시계

시 서덕출 글 정새윤

딸깍 딸깍 시계가
딸깍 거리네
벽위에 있는
시계가 딸깍
밤이면 우는애도
잠을 자는데
시계만 잠 안자고
딸깍 거리네

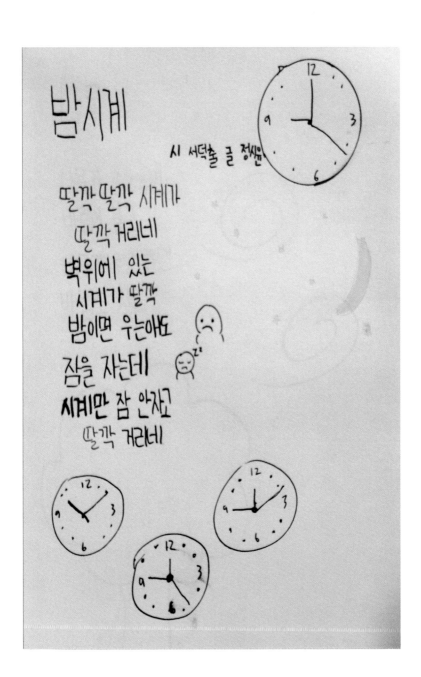

나무

나무가 춤을 추면
바람이 불고
나무가 잠잠하면
바람도 자요.

눈

시 윤동주
글 정시윤

지난밤에
눈이 소오복 왔네

지붕이랑
길이랑 밭이랑
추워한다고
덮어 주는 이불인가봐

그러기에
추운 겨울에만 내리지

- 109 -

( )학년 (   )

(   )이가 쓰고 그린 동시들

1.

2.

3.

4.

5.

6.

7.

8.

9.

10.

※ 마음에 드는 시를 골라 옮겨 쓰고, 어울리는 그림을 그려 보세요.